La vie sous-marine

Kate Needham

Illustrations :
Ian Jackson

Maquette :
Andy Griffin

Directrice de la collection :
Felicity Brooks

Experts-conseils :
Dr Margaret Rostron
Dr John Rostron

Conseiller en plongée sous-marine :
Reg Vallintine

Traduction :
Lucia Ceccaldi

Avec nos remerciements à :
Dr John Bevan
Rachael Swann
Sophy Tahta

Ce serpent vit dans les mangroves. Découvre les autres habitants de ces lieux en pages 24 et 25.

Reporte-toi aux pages 26 et 27 pour voir les manchots des îles Galápagos s'élancer sous l'eau.

Les oiseaux de mer plongent très profond pour capturer des poissons. Ces fous de Bassan sont en pages 26 et 27.

Sommaire

Découvre pages 22 et 23 quel est le travail des plongeurs dans les fonds marins.

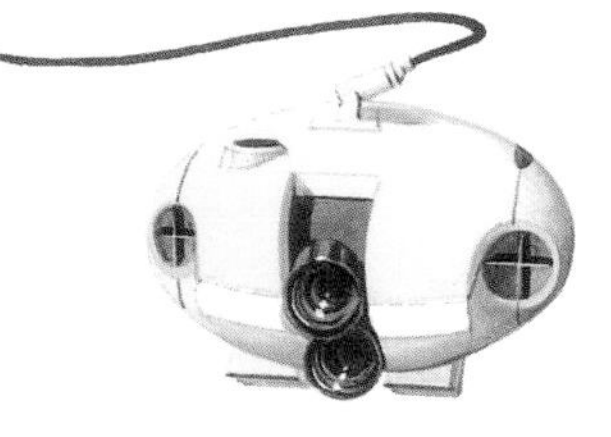

Cette machine sous-marine est utilisée pour réparer les plates-formes pétrolières, comme en pages 22 et 23.

Les loutres de mer vivent dans des forêts de varechs, comme les autres animaux des pages 20 et 21.

Bon nombre d'espèces des récifs coralliens ont des couleurs vives, comme le montrent les pages 18 et 19.

Palmes
Couteau
Bouteille
Stab
Détendeur

Si tu veux savoir quel équipement les plongeurs utilisent pour respirer sous l'eau, lis les pages 18 et 19.

Découvre les étranges animaux qui vivent au fond de l'océan pages 16 et 17.

À propos de ce livre

Les ammonites vivaient il y a plus de 200 millions d'années. Découvre d'autres créatures aujourd'hui disparues en pages 4 et 5.

Cet ouvrage te fera découvrir un monde sous-marin fascinant et connaître les nombreux animaux et plantes qui y vivent.

Apprends en t'amusant grâce aux jeux qui te sont proposés. Lis les explications ci-dessous pour savoir comment faire.

De dangereuses murènes se cachent dans l'épave des pages 6 et 7.

Il y a des centaines de choses à trouver sur chaque illustration. Dans la réalité, les mers sont bien moins peuplées.

Chaque grande illustration est entourée d'illustrations plus petites.

Le texte bleu qui accompagne chaque petit dessin t'indique combien d'autres choses semblables tu trouveras dans l'illustration principale.

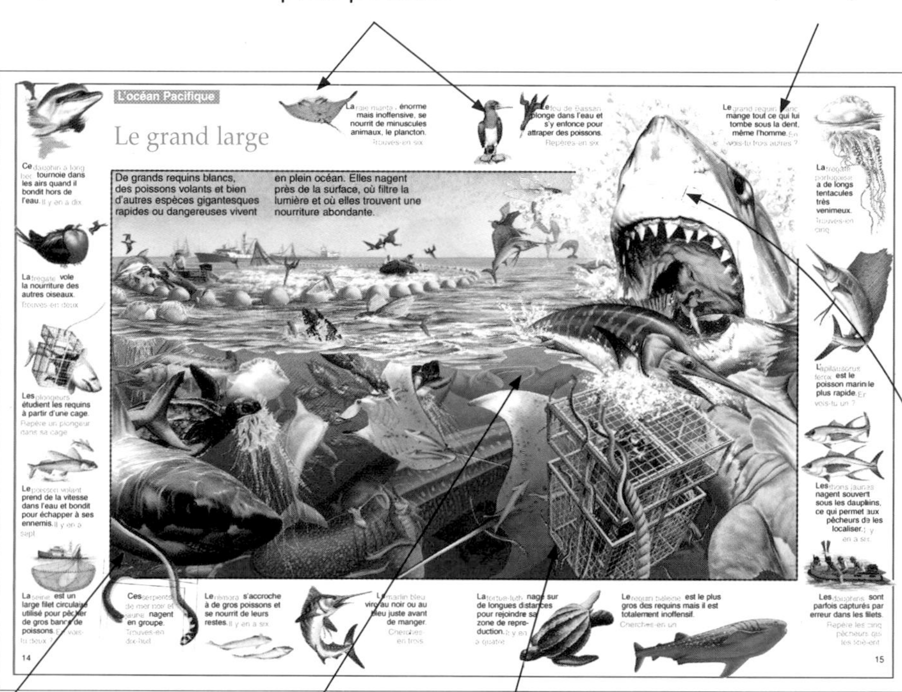

L'océan Pacifique

Le grand large

De grands requins blancs, des poissons volants et bien d'autres espèces gigantesques rapides ou dangereuses vivent en plein océan. Elles nagent près de la surface, où filtre la lumière et où elles trouvent une nourriture abondante.

La raie manta, énorme mais inoffensive, se nourrit de minuscules animaux, le plancton. Trouves-en six.

Le fou de Bassan plonge dans l'eau et s'y enfonce pour attraper des poissons. Repères-en six.

Le grand requin blanc mange tout ce qui lui tombe sous la dent, même l'homme. En vois-tu trois autres ?

Ce dauphin à long bec tournoie dans les airs quand il bondit hors de l'eau. Il y en a dix.

La frégate vole la nourriture des autres oiseaux. Trouves-en deux.

La frégate portugaise a de longs tentacules très venimeux. Trouves-en cinq.

Regarde pages 8 et 9 ce que tu peux découvrir dans les mares d'une côte rocheuse.

Tu ne vois qu'une partie de ce requin, mais il doit être pris en compte.

Cette raie manta, au loin, compte également.

Compte bien tous ces serpents.

Ce requin qui dépasse de l'illustration fait office de petite illustration, il ne faut donc pas le compter.

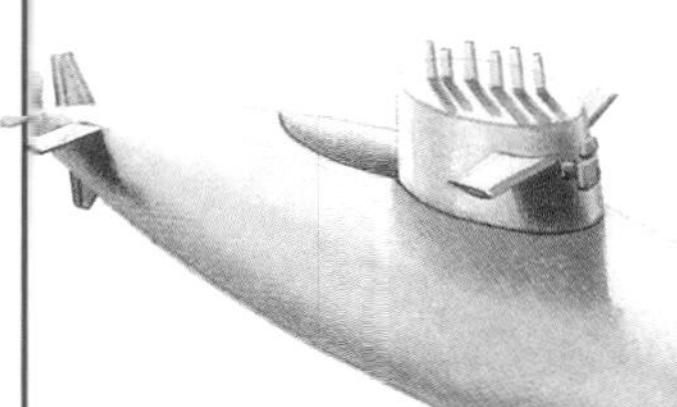

Cherche pages 10 et 11 le premier sous-marin à avoir navigué sous la glace de l'Arctique.

Le jeu consiste à retrouver sur l'illustration centrale toutes les choses mentionnées autour. Certaines sont très faciles à trouver, d'autres moins, car minuscules ou en partie cachées. Prends garde à ne pas confondre les animaux qui se ressemblent. Si tu ne trouves pas ce qui t'est demandé, regarde la réponse aux pages 28 à 31.

Trouve des coffres pleins de pièces d'or et d'autres trésors de pirates en pages 12 et 13.

Pages 16 et 17, tu en sauras plus sur les sous-marins qui explorent les océans.

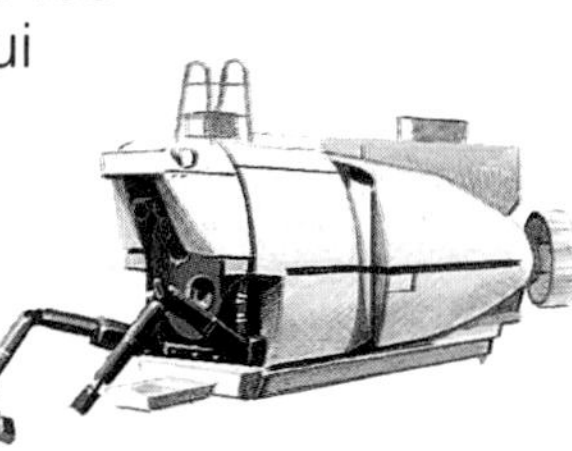

L'apilausorus ferox des pages 14 et 15 est le poisson marin le plus rapide.

Regarde pages 14 et 15 quel est le plus dangereux de tous les requins.

Il y a deux cents millions d'années

Les mers de la préhistoire

Le placodus avait de puissantes mâchoires. Il y en a deux.

L'ammonite attrapait sa nourriture avec ses tentatules. Trouves-en treize.

À cette époque, les terres étaient peuplées de dinosaures et les mers de créatures géantes. On trouvait aussi des animaux marins de petite taille, dont certains existent encore aujourd'hui. Il y en a vingt et une espèces sur l'illustration.

Le gemuendina était apparenté aux raies. En vois-tu quatre autres ?

L'ichtyosaure mettait bas sous l'eau. Cherche deux adultes et trois petits.

Les méduses sont apparues il y a plus de 600 millions d'années. En vois-tu quatre ?

La tortue de mer géante comme cet archelon pouvait se cacher sous sa dure carapace. Repères-en deux.

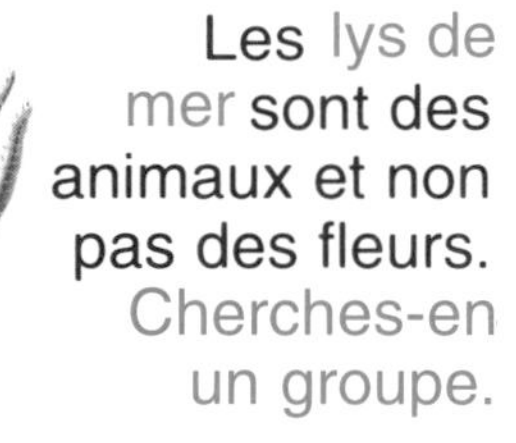

Les lys de mer sont des animaux et non pas des fleurs. Cherches-en un groupe.

La chimère monstrueuse doit son nom à sa drôle de tête. Trouves-en deux.

L'elasmosaurus avait un très long cou. Trouves-en un.

Le tanystropheus vivait en bord de mer et se nourrissait de poissons. Cherches-en deux.

Le pliosaurus, rapide et féroce, s'attaquait à de grands animaux. Trouves-en un.

La coquille de la belemnite grandissait avec l'animal. Il y a quatre autres belemnites.

Les éponges n'ont pas changé d'apparence. Trouves-en trois groupes.

Certains pensent que le monstre du Loch Ness est un plésiosaure. Cherches-en trois.

Étoile de mer

Oursins

Concombre de mer

Ces animaux se déplacent lentement sur les fonds marins. Repères-en trois de chaque.

Il y avait toutes sortes de requins. Trouves-en trois comme celui-ci.

Les lingules étaient fixées aux fonds marins par leur pédoncule. Il y a deux groupes de lingules.

Les limules n'ont pas disparu. Ils nagent à l'envers. Trouves-en deux autres sur l'illustration.

Le geosaurus avait des dents pointues et un long museau. Cherches-en deux.

Une épave

L'ensemble de l'épave est vite recouvert de coraux. Retrouves-tu cette ancre ?

Certaines épaves contiennent des trésors. Trouve dix-huit lingots d'or.

On ne sait jamais ce que l'on va trouver lorsqu'on plonge pour explorer une épave. D'étranges animaux tapis dans les grands fonds ? Un trésor enfoui dans le sable ? Ce bateau a coulé il y a des années de cela et il est à présent recouvert de coraux.

Les requins des récifs coralliens ont l'air dangereux mais attaquent rarement les plongeurs. Il y en a trois.

Ce bateau transportait des motos. Trouves-en trois recouvertes de coraux.

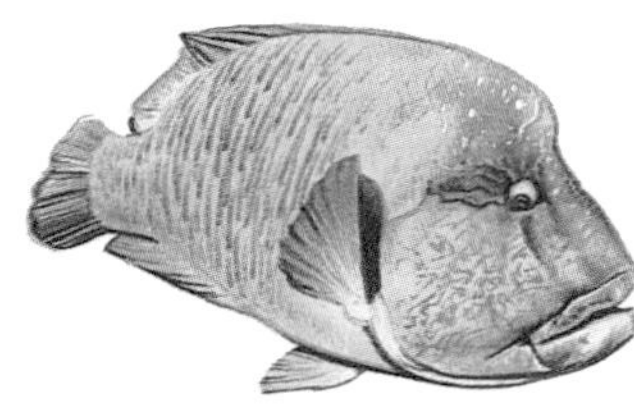

Le labre napoléon est un gros poisson inoffensif qui suit souvent les plongeurs. Cherches-en trois.

Grâce à un œil et une narine de chaque côté de sa tête, le requin marteau a une vue et un odorat excellents. Il y en a quatre autres.

Cet étrange poisson a des yeux verts brillants. Repères-en un caché sur le fond marin.

Des coraux colorés recouvrent l'épave. Trouve quatre massifs roses.

Le poisson-perroquet grignote les coraux avec sa bouche semblable à un bec. Il y en a trois.

Ce plongeur descend explorer l'épave. En vois-tu sept autres ?

La murène a de puissantes mâchoires. Elle chasse la nuit. Trouves-en quatre.

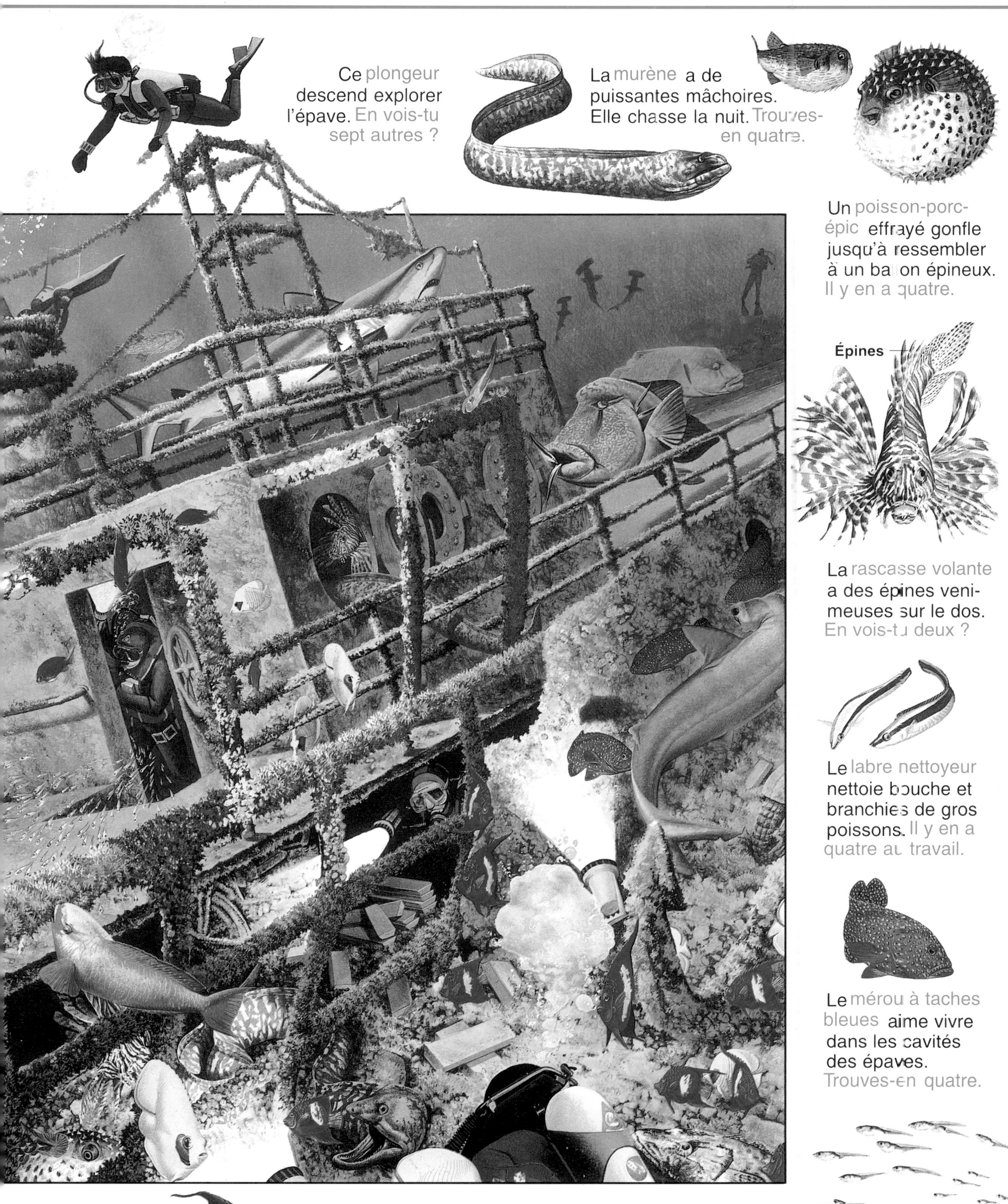

Un poisson-porc-épic effrayé gonfle jusqu'à ressembler à un ballon épineux. Il y en a quatre.

Épines

La rascasse volante a des épines venimeuses sur le dos. En vois-tu deux ?

Le labre nettoyeur nettoie bouche et branchies de gros poissons. Il y en a quatre au travail.

Le mérou à taches bleues aime vivre dans les cavités des épaves. Trouves-en quatre.

Ces poissons se reconnaissent entre eux grâce à leurs motifs. Trouves-en vingt de chaque type.

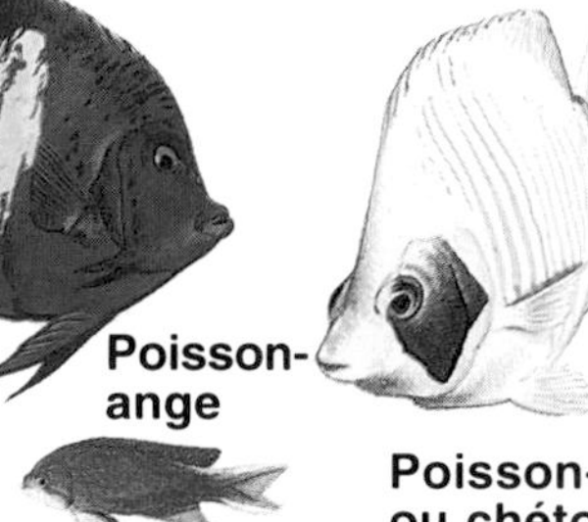

Poisson-ange

Anthias

Poisson-papillon ou chétodon

Grâce à sa torche, le plongeur peut voir à l'intérieur de l'épave. Repère quatre torches.

Ces petits poissons nagent en grands groupes appelés bancs. Cherches-en un banc.

Une côte rocheuse

Il existe toutes sortes d'étoiles de mer. La plupart ont cinq bras. Trouves-en quatre de chaque espèce ci-dessus.

L'actinie brune se ferme hermétiquement pour conserver toute son eau jusqu'au retour de la mer. Il y en a vingt.

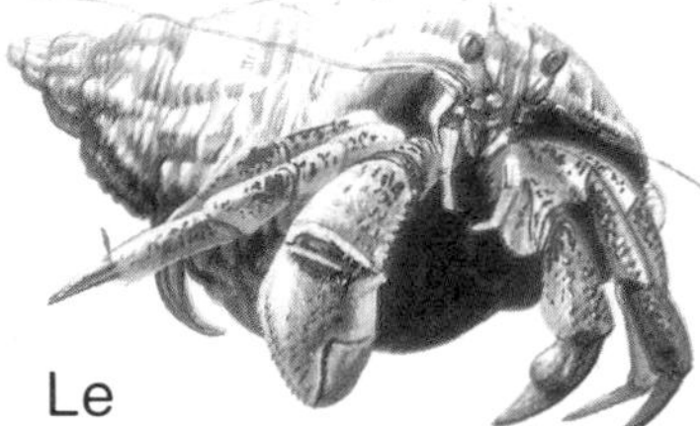

Le bernard-l'ermite élit domicile dans un coquillage vide et déménage quand il grandit. Il y en a deux.

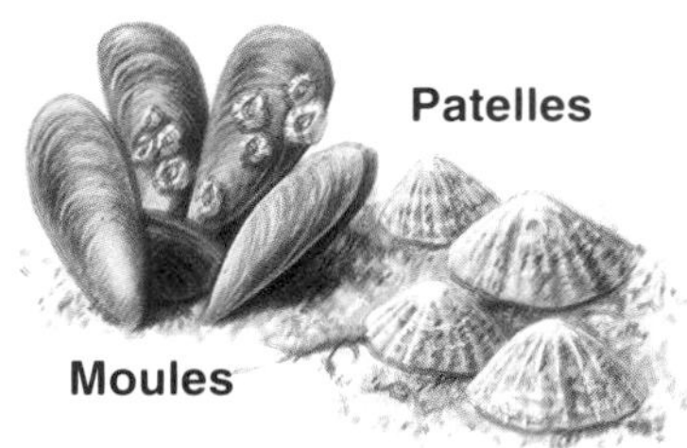

Certains animaux qui vivent dans des coquilles restent fixés aux rochers. Cherche cinq groupes de moules et cinq de patelles.

Les mouettes tridactyles vivent sur les falaises et pêchent en mer. Il y en a cinquante.

Cette côte rocheuse est recouverte puis découverte par la mer deux fois par jour. Quand elle se retire, de nombreuses espèces restent dans de petites mares comme celle-ci. Tu peux compter plus de cent individus sur cette illustration.

Le phoque gris a de grands yeux pour bien voir dans les eaux troubles. En vois-tu neuf ?

La gonelle est longue et fine, avec des taches sur le dos. Cherches-en quatre.

Grâce à ses yeux situés sur la tête, le gobie des roches voit au-dessus de lui. Il y en a deux.

La pieuvre peut se blottir dans un petit espace. En vois-tu une ?

Certaines roches contiennent des fossiles comme ces ammonites. Trouves-en dix.

L'huîtrier pie se sert de son bec pointu pour se nourrir de coquillages. Il y en a en trois autres.

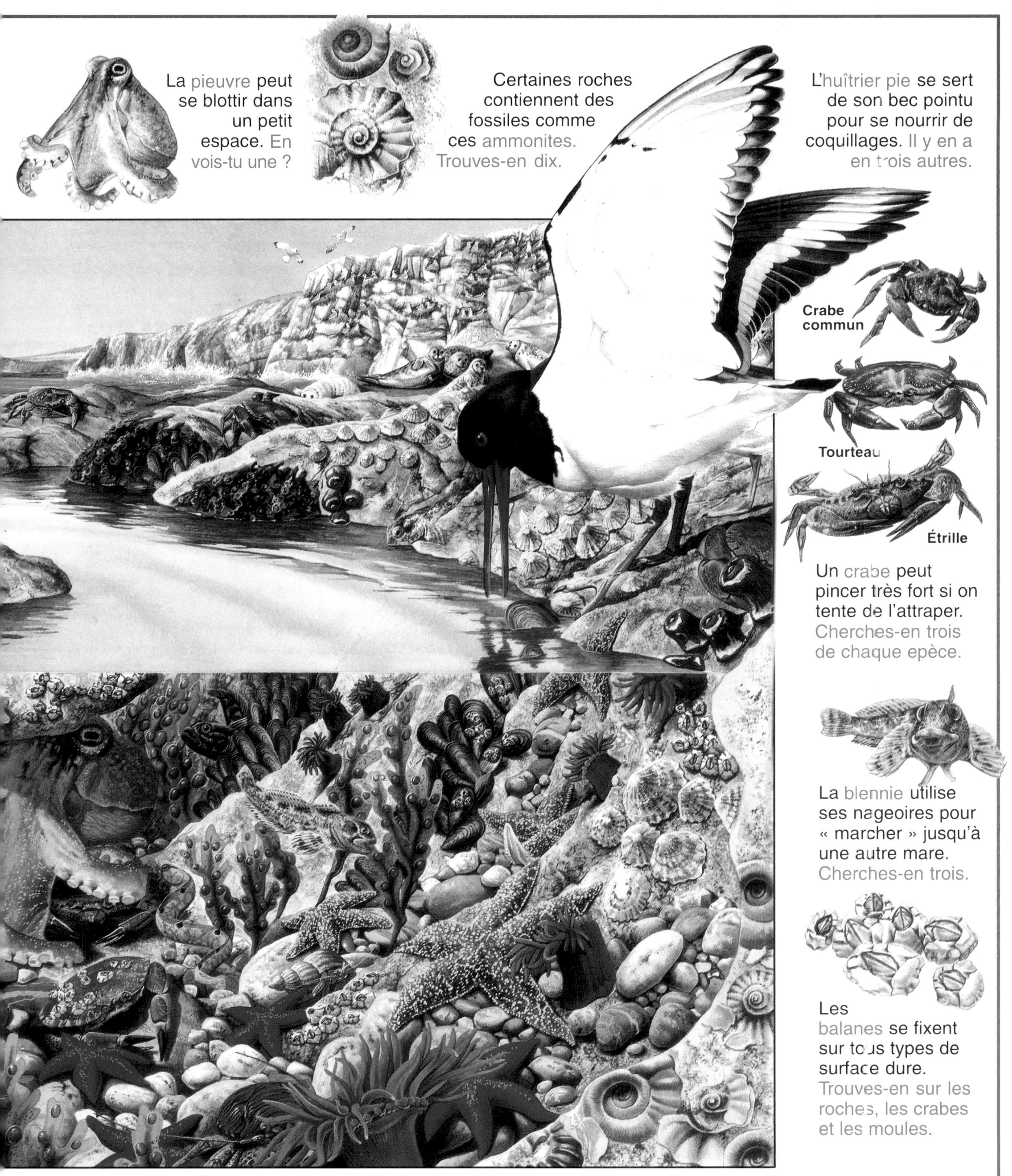

Un crabe peut pincer très fort si on tente de l'attraper. Cherches-en trois de chaque epèce.

La blennie utilise ses nageoires pour « marcher » jusqu'à une autre mare. Cherches-en trois.

Les balanes se fixent sur tous types de surface dure. Trouves-en sur les roches, les crabes et les moules.

Il est difficile de voir les crevettes presque transparentes. Trouves-en sept.

Vois-tu l'épuisette et le seau que quelqu'un a dû oublier ?

Le galathée a d'énormes pattes avant, plus grosses que le corps. En vois-tu deux ?

Les mers de glace

Épaisse fourrure et couche de graisse protègent l’ours polaire du froid quand il nage dans l’eau glacée. Il y en a quatre.

Les navires de recherche brisent la glace avec leur proue très solide. Trouves-en un.

L’océan Arctique est si froid que les deux tiers sont recouverts de glace toute l’année. Malgré la très basse température de l’eau, beaucoup d’espèces y vivent. Les savants y viennent pour étudier la glace et en savoir plus sur les changements de climat sur terre.

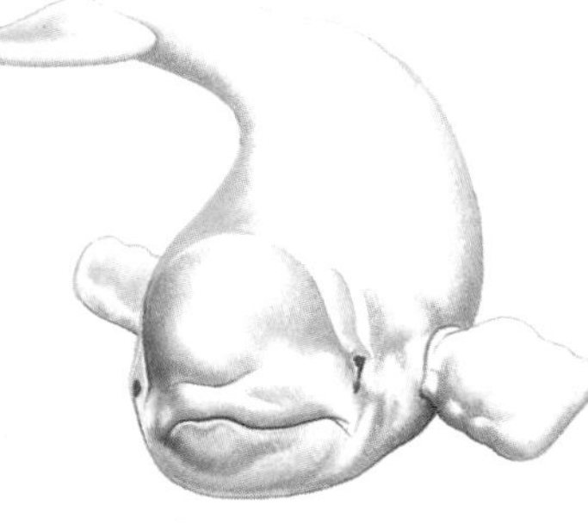

Les bélugas, sortes de dauphins, communiquent entre eux en émettant des sons variés. Il y en a trois.

Le bébé phoque a une fourrure blanche et duveteuse. Cherches-en trois.

Le Nautilus fut le premier sous-marin à traverser l’océan Arctique sous la glace. Le vois-tu ?

Le morse se sert de ses défenses pour se hisser hors de l’eau. Trouves-en quinze.

Les savants attachent un émetteur aux animaux pour étudier leur mode de vie. Trouve un émetteur.

Le phoque barbu trouve des crustacés avec ses longues moustaches. En vois-tu trois ?

Le narval mâle a une longue défense torsadée qui est en fait une énorme incisive. Cherche huit narvals.

La sterne arctique fait chaque année l'aller retour entre le pôle Nord et le pôle Sud. En vois-tu quatre ?

La baleine à bosse bondit parfois hors de l'eau. Cherches-en trois.

Phoque du Groenland

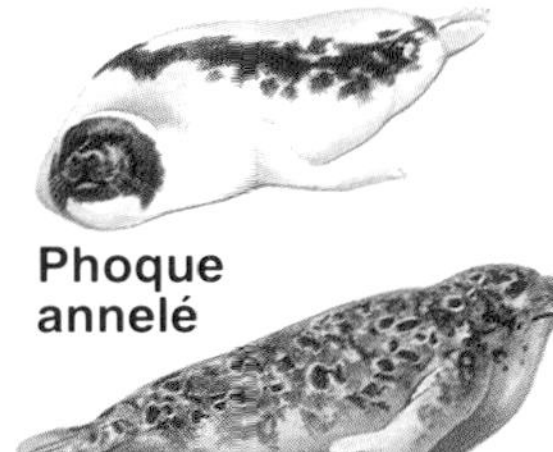

Phoque annelé

Phoque à ruban

On reconnaît les différents types de phoque au motif de leur fourrure. Trouves-en cinq de chaque type.

Le labbe arctique vole sa nourriture aux autres oiseaux. Cherches-en deux.

Le macareux moine « pagaie » avec ses ailes quand il plonge sous l'eau pour pêcher. Trouves-en trois.

L'épaulard attrape les phoques en renversant les plaques de glace sur lesquelles ils se tiennent. Il y en a trois.

Les mergules nains cherchent leur nourriture en groupe. Cherches-en dix.

La baleine bleue est probablement le plus grand animal ayant jamais existé. Trouves-en une.

Un trésor de pirates

Trouve une coupe aux hanses en forme de dauphin.

Les pirates recherchaient les coffres pleins de pièces d'or. Trouves-en sept.

Au seizième siècle, des galions, navires espagnols, naviguaient des Amériques jusqu'en Espagne chargés d'or, d'argent et de bijoux. Bon nombre furent attaqués par les pirates. Ces plongeurs explorent un navire qui a coulé avec sa cargaison.

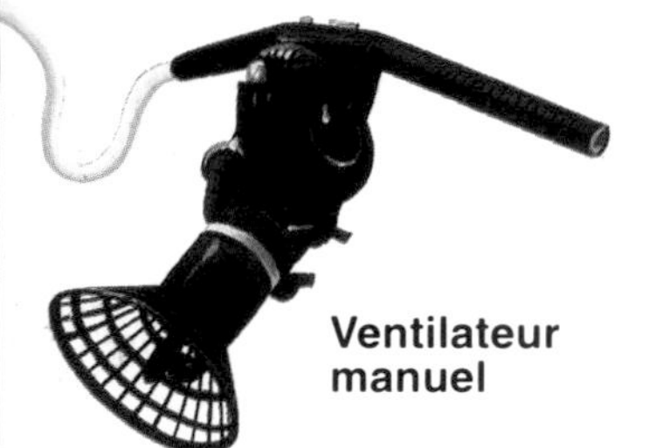

Les plongeurs utilisent des ventilateurs manuels pour soulever le sable et découvrir des trésors. Cherches-en deux.

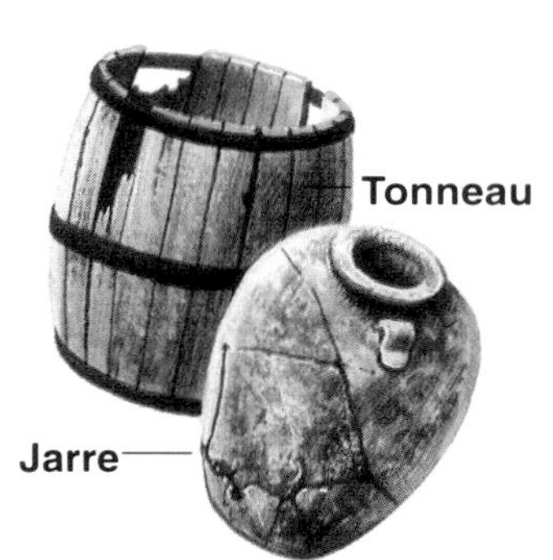

La nourriture de l'équipage était stockée dans des tonneaux et des jarres Trouves-en six de chaque.

L'un des plongeurs fait parfois un croquis du navire. Cherches-en un attelé à cette tâche.

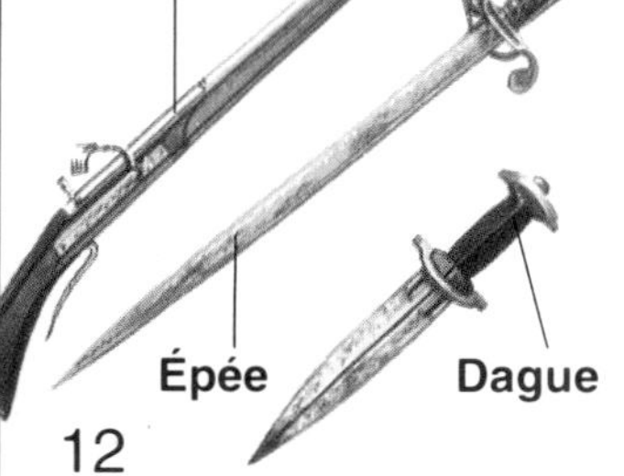

L'équipage du bateau devait être armé pour repousser les pirates. Cherche deux armes de chacun des types ci-contre.

Les plongeurs à la recherche de trésors enterrés utilisent parfois des détecteurs de métal. Trouves-en un.

Cherche deux assiettes en or.

Pour naviguer, les marins se dirigeaient avec le soleil et les étoiles. Trouve ces instruments de mesure.

Astrolabe

Compas à pointes sèches

Cadran solaire

Lorsque les plongeurs trouvent une épave, ils la mesurent et la photographient. Cherche un appareil photo.

Appareil photo

Grille

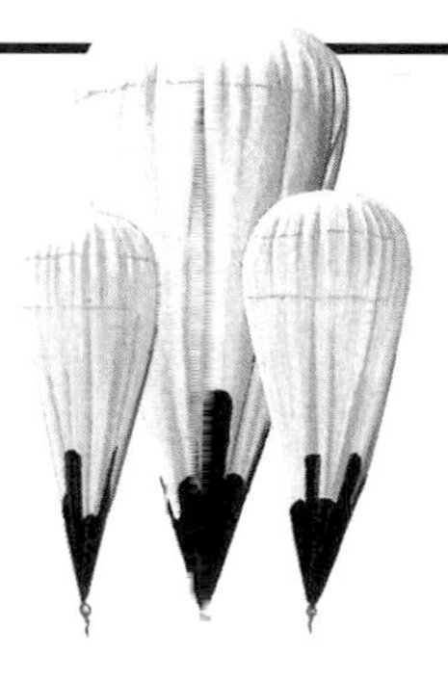

Les objets lourds sont attachés à des ballons remplis d'air qui les montent à la surface. Il y en a huit.

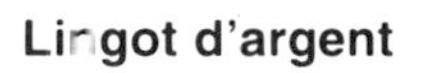

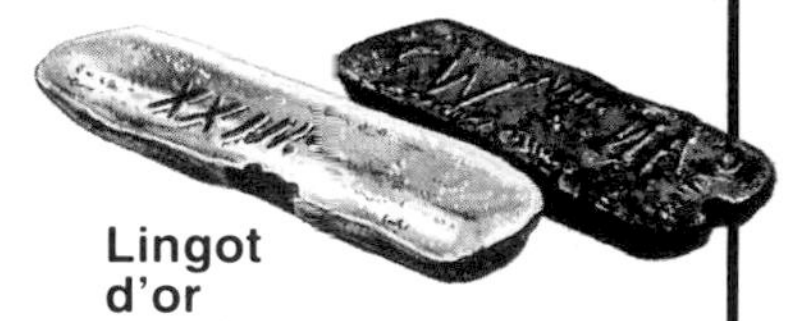

À partir de l'or et de l'argent de l'Amérique du Sud, on faisait des lingots au Mexique. Trouves-en sept d'argent et six d'or.

Les petits objets sont remontés à la surface dans des paniers. Trouves-en six.

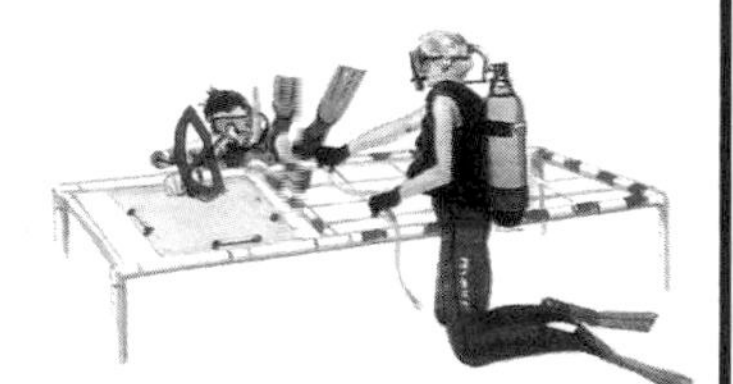

Cherche les plongeurs qui mesurent des parties de l'épave.

Canon

Boulets de canon

Le capitaine utilisait ce sifflet pour donner des ordres à son équipage. Le vois-tu ?

Les personnes riches naviguaient en tant que passagers. Trouve ces six bijoux.

Médaillon en or

Rosaire

Croix en émeraude

Boucle en or incrustée de pierres

Bague en émeraude

Chaîne en or

Les galions construits pour les batailles étaient équipés de canons. Trouve dix canons et vingt boulets.

Le grand large

Ce dauphin à long bec tournoie dans les airs quand il bondit hors de l'eau. Il y en a dix.

La raie manta, énorme mais inoffensive, se nourrit de minuscules animaux, le plancton. Trouves-en six.

La frégate vole la nourriture des autres oiseaux. Trouves-en deux.

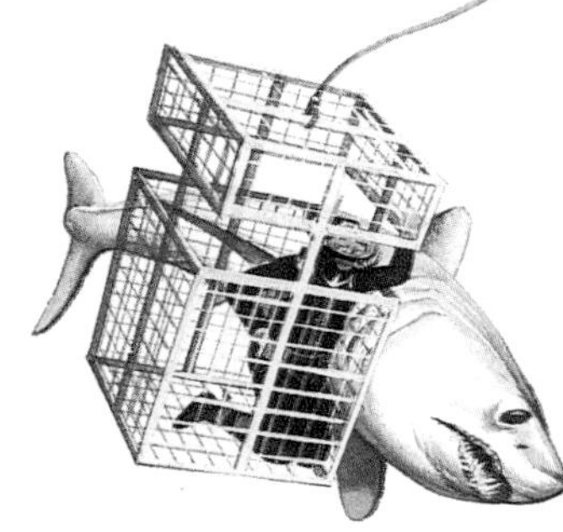

Les plongeurs étudient les requins à partir d'une cage. Repère un plongeur dans sa cage.

Le poisson volant prend de la vitesse dans l'eau et bondit pour échapper à ses ennemis. Il y en a sept.

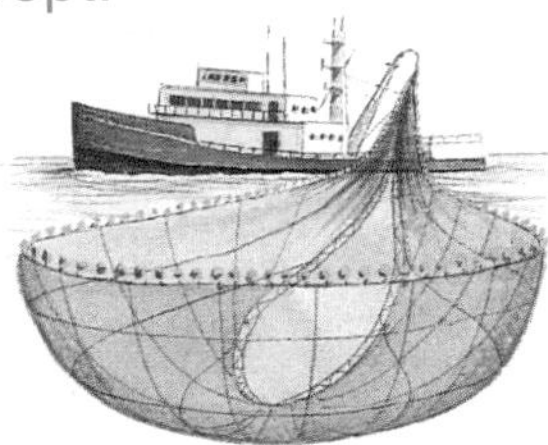

La seine est un large filet circulaire utilisé pour pêcher de gros bancs de poissons. En vois-tu deux ?

De grands requins blancs, des poissons volants et bien d'autres espèces gigantesques rapides ou dangereuses vivent en plein océan. Elles nagent près de la surface, où filtre la lumière et où elles trouvent une nourriture abondante.

Ces serpents de mer noir et jaune nagent en groupe. Trouves-en dix-huit.

Le rémora s'accroche à de gros poissons et se nourrit de leurs restes. Il y en a six.

Le marlin bleu vire au noir ou au bleu juste avant de manger. Cherches-en trois.

Le fou de Bassan plonge dans l'eau et s'y enfonce pour attraper des poissons. Repères-en six.

Le grand requin blanc mange tout ce qui lui tombe sous la dent, même l'homme. En vois-tu trois autres ?

La frégate portugaise a de longs tentacules très venimeux. Trouves-en cinq.

L'apilausorus ferox est le poisson marin le plus rapide. En vois-tu un ?

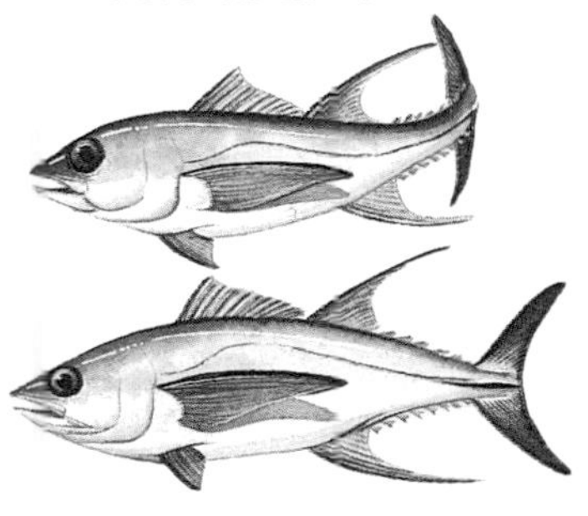

Les thons jaunes nagent souvent sous les dauphins, ce qui permet aux pêcheurs de les localiser. Il y en a six.

La tortue-luth nage sur de longues distances pour rejoindre sa zone de reproduction. Il y en a quatre.

Le requin baleine est le plus gros des requins mais il est totalement inoffensif. Cherches-en un.

Les dauphins sont parfois capturés par erreur dans les filets. Repère les cinq pêcheurs qui les libèrent.

L'abysse

L'abysse, glacial et sans lumière, est la zone la plus profonde de l'océan. Les explorateurs y descendent dans de petits sous-marins appelés submersibles. Ils y ont découvert des volcans, des fosses profondes, des sources chaudes et d'étranges créatures.

Ce « poisson », magnétomètre tiré par un bateau en surface, détecte ce qui se trouve sur les fonds marins. Il y en a trois.

Le poisson tripode se déplace sur les fonds marins en appui sur ses nageoires fines. Trouves-en un.

Le bathyscaphe ressemble à un énorme dirigeable. Il peut atteindre les fosses profondes. En vois-tu deux ?

Les submersibles possèdent d'épaisses parois qui résistent à la pression exercée par la masse d'eau. Trouve ces trois submersibles.

Le colossendeis limopsis mesure jusqu'à 50 cm de diamètre. En vois-tu cinq ?

Le poisson-hachette a deux énormes yeux au sommet du crâne. Trouves-en dix-sept.

La baudroie utilise sa longue nageoire terminée par une zone luminescente pour attirer d'autres poissons. Trouves-en trois.

Les pogonophores absorbent leur nourriture par la peau et les tentacules. Cherches-en cinq groupes.

L'eurypharinx peut avaler de gros poissons grâce à sa large bouche. Trouves-en quatre.

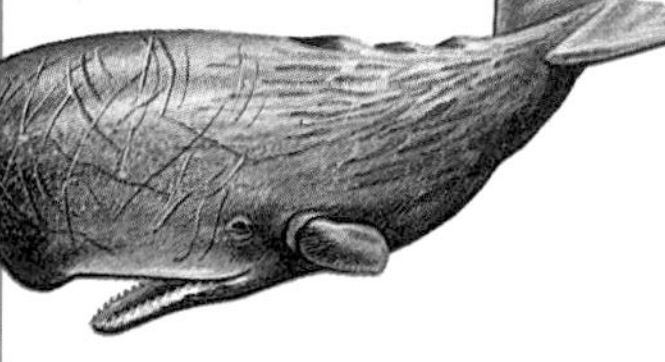

Le cachalot plonge très profond pour se nourrir mais doit retourner en surface pour y respirer. En vois-tu deux ?

Ce robot est piloté depuis un submersible ou un bateau grâce à un câble. Trouves-en trois.

Des cheminées noires (fumeurs) se développent autour des sources chaudes. Trouves-en quinze.

Submersibles et robots sont équipés de bras articulés qui ramassent ce qui est au sol. Cherches-en cinq autres.

Le poisson-lanterne a des lumières sur le corps. Il y en a vingt-deux.

Le chauliodus se décroche les mâchoires pour avaler de gros poissons. Trouves-en deux.

Les yeux du calmar géant sont dix-sept fois plus gros que les nôtres. Il y en a quatre.

Ces étranges créatures vivent et se nourrissent près des cheminées noires. Il y en a vingt de chaque.

L'aérosub est l'un des submersibles de demain. Il atteindra les fonds marins très rapidement. En vois-tu un ?

Plongée en récif

La plongée sous-marine fait beaucoup d'adeptes et la Grande Barrière de corail en Australie est l'un des sites les plus appréciés.

Le récif est constitué desu squelettes de milliers de minuscules polypes appelés coraux. Cherche quinze plongeurs.

Bouteille

Détendeur

Le plongeur respire l'air comprimé des bouteilles. Trouve un plongeur équipé de deux bouteilles.

Vois-tu trois tubas bleus ?

Tuba

Masque

Cherche un masque qui fuit, à moitié rempli d'eau.

Sous l'eau, les plongeurs communiquent par des signes. En vois-tu deux communiquant ainsi ?

Le bénitier se développe très lentement et peut vivre cent ans. Trouves-en deux.

Avec ses palmes, un plongeur avance plus vite. En vois-tu trois paires jaunes ?

Le nudibranche est petit mais a des couleurs vives. Trouve un exemplaire de chaque.

Flash

Ces appareils photo étanches sont équipés de puissants flashs. Trouves-en quatre.

Cuboméduse

Cône

Serpent de mer

Ces espèces venimeuses peuvent être mortelles. Trouves-en une de chaque.

Vois-tu quatre plongeurs avec des couteaux ?

Cherche un plongeur revêtu d'une combinaison rose comme celle-ci.

Cette console indique la quantité d'air restant et la profondeur. Il y en a quatre.

Une bouée en surface indique la position du plongeur. En vois-tu une ?

Bien que certains ressemblent plus à des roches, les coraux sont des animaux. Trouve quatre massifs de chaque type.

Le plongeur accroche des plombs à sa ceinture pour descendre plus facilement. Cherches-en un avec six plombs.

Une multitude de poissons vivent dans le récif. Trouves-en trois de chaque type.

Pour remonter, le plongeur gonfle son gilet stabilisateur (stab), et il le dégonfle pour redescendre. Trouve une stab rose.

Le barracuda est curieux et suit parfois les plongeurs. Cherches-en cinq.

Le poisson-clown se cache dans des anémones venimeuses. Il y en a neuf autres.

La côte californienne

Une forêt de varechs

Les varechs géants de Californie sont les plantes qui poussent le plus vite au monde : jusqu'à 60 cm par jour. Ces algues forment des forêts qui abritent des milliers d'espèces. Le varech entre dans la composition des glaces ou de la peinture par exemple.

La baleine grise se réfugie dans les algues pour mettre son petit à l'abri. Trouve une mère et son petit.

Le troque se nourrit de varechs. Trouves-en dix-sept.

L'otarie de Californie est très joueuse et nage très vite. En vois-tu trois ?

La loutre de mer s'entoure de varechs quand elle fait la sieste en surface. Trouves-en huit.

Le cyprin océanique défend férocement son territoire dans les varechs. Trouves-en onze.

Le crabe des varechs change de coquille à chaque poussée de croissance. Trouves-en six.

L'étoile de mer se tient sur l'extrémité de ses cinq bras pour pondre ses œufs. En vois-tu deux ?

La raie aigle plane dans la forêt comme si ses nageoires étaient des ailes. Trouves-en trois.

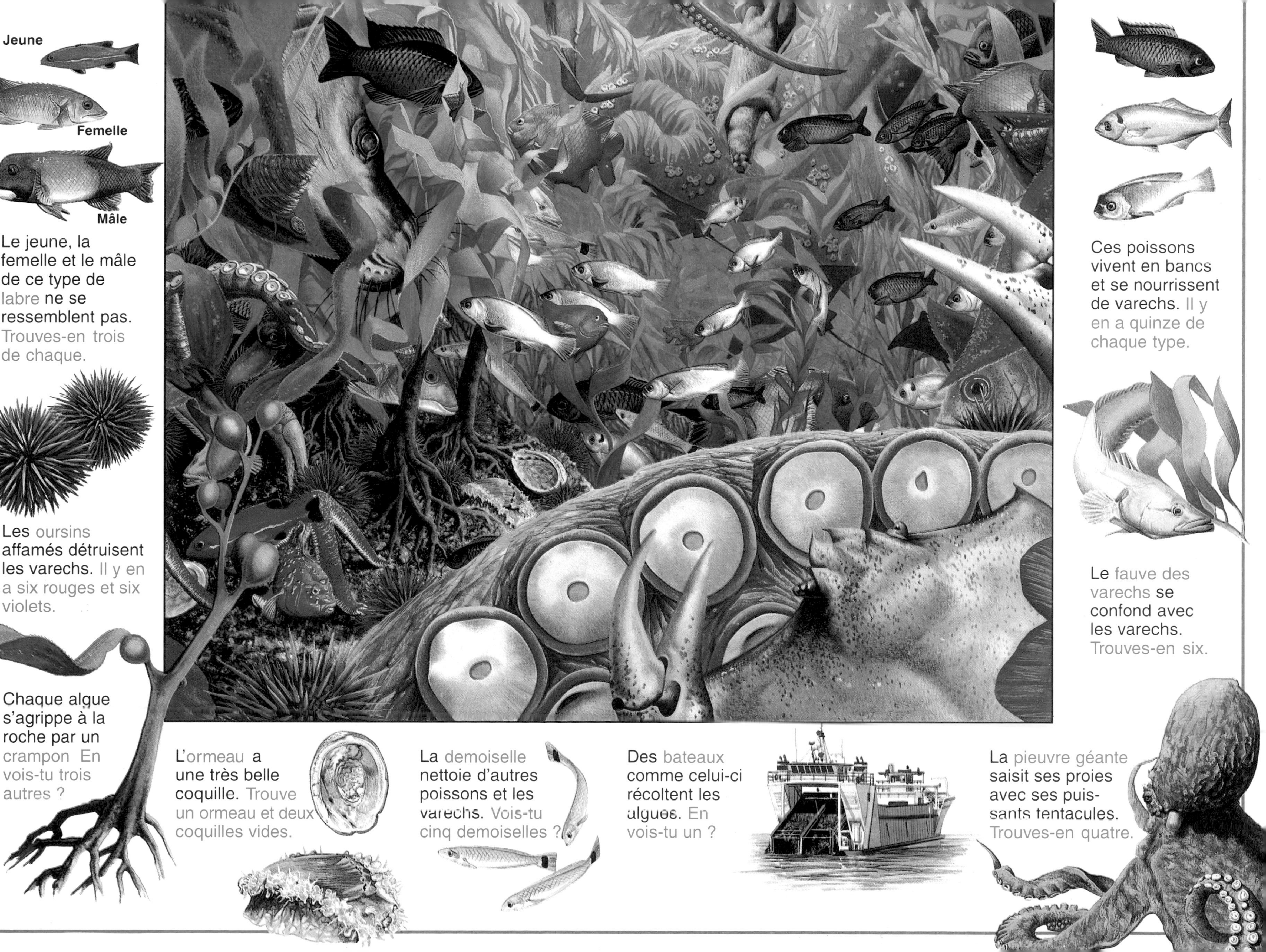

Le jeune, la femelle et le mâle de ce type de labre ne se ressemblent pas. Trouves-en trois de chaque.

Les oursins affamés détruisent les varechs. Il y en a six rouges et six violets.

Chaque algue s'agrippe à la roche par un crampon En vois-tu trois autres ?

L'ormeau a une très belle coquille. Trouve un ormeau et deux coquilles vides.

La demoiselle nettoie d'autres poissons et les varechs. Vois-tu cinq demoiselles ?

Des bateaux comme celui-ci récoltent les algues. En vois-tu un ?

La pieuvre géante saisit ses proies avec ses puis-sants tentacules. Trouves-en quatre.

Ces poissons vivent en bancs et se nourrissent de varechs. Il y en a quinze de chaque type.

Le fauve des varechs se confond avec les varechs. Trouves-en six.

Plate-forme pétrolière

Visières

Le casque du scaphandre permet de voir et de respirer. Trouve un casque à visière carrée.

La plate-forme est construite sur terre puis remorquée en mer. En vois-tu cinq ?

Scaphandre rigide

Le scaphandre rigide protège le plongeur contre la pression de l'eau. Cherches-en deux de ce type.

Ce type de scaphandre est équipé de propulseurs pour faciliter les mouvements du plongeur. Trouves-en cinq.

Le congre a des dents pointues. Il vit dans des cavités, les plongeurs doivent donc y prendre garde. Cherche quatre congres.

Quand on trouve du pétrole dans les fonds marins, on construit une plate-forme pétrolière pour le remonter en surface.

Des robots submersibles et des plongeurs de grands fonds surveillent la construction et effectuent les réparations.

Le caisson sous pression sert à faire descendre les plongeurs en profondeur. Trouves-en trois.

Barge de pose

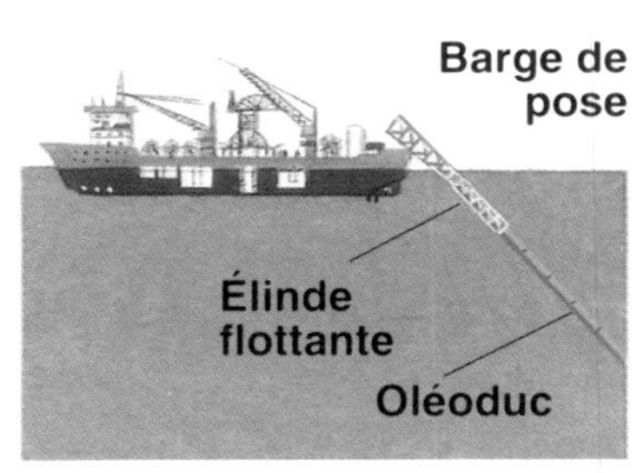

Des bateaux spéciaux, les barges de pose, mettent en place les oléoducs. Trouves-en une.

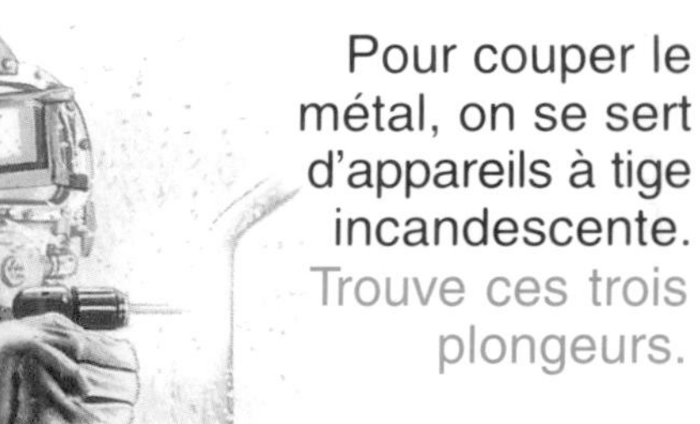

Pour couper le métal, on se sert d'appareils à tige incandescente. Trouve ces trois plongeurs.

Certains phoques sont féroces et tentent de chasser les plongeurs. Cherche cinq phoques.

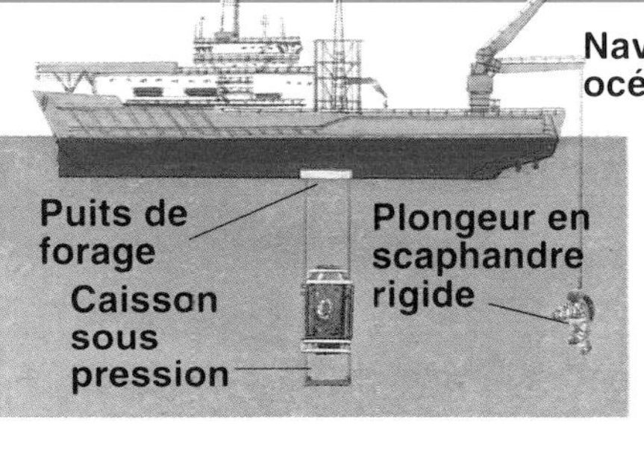

L'équipement de plongée sur le navire océanographe est descendu dans les profondeurs. Trouve un navire.

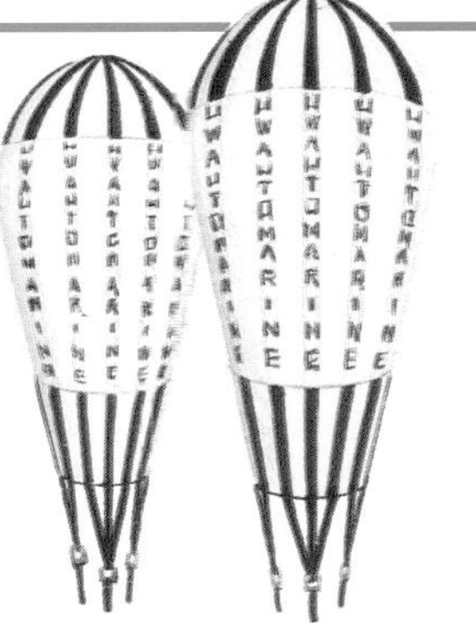

Des ballons gonflés d'air soutiennent les lourdes charges. Trouves-en dix.

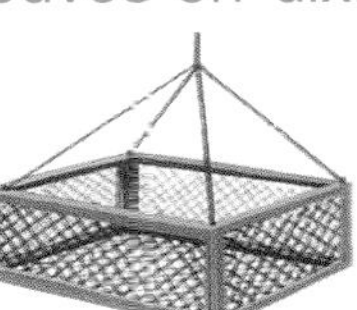

Les outils sont descendus de la surface dans ces paniers. En vois-tu cinq ?

ROV (Remotely Operated Vehicle)

Pour chaque type de travail, on utilise un robot particulier. Ci-dessus, un ROV à bras mécaniques. Trouves-en trois.

ROV avec caméra

Des ROV équipés de caméras filment les dégâts et les réparations. Trouves-en six.

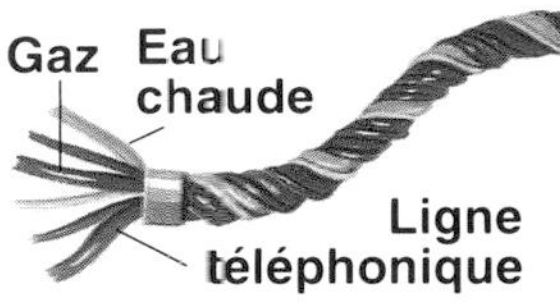

Un câble relie le plongeur au caisson et lui fournit gaz et eau chaude. Trouves-en six.

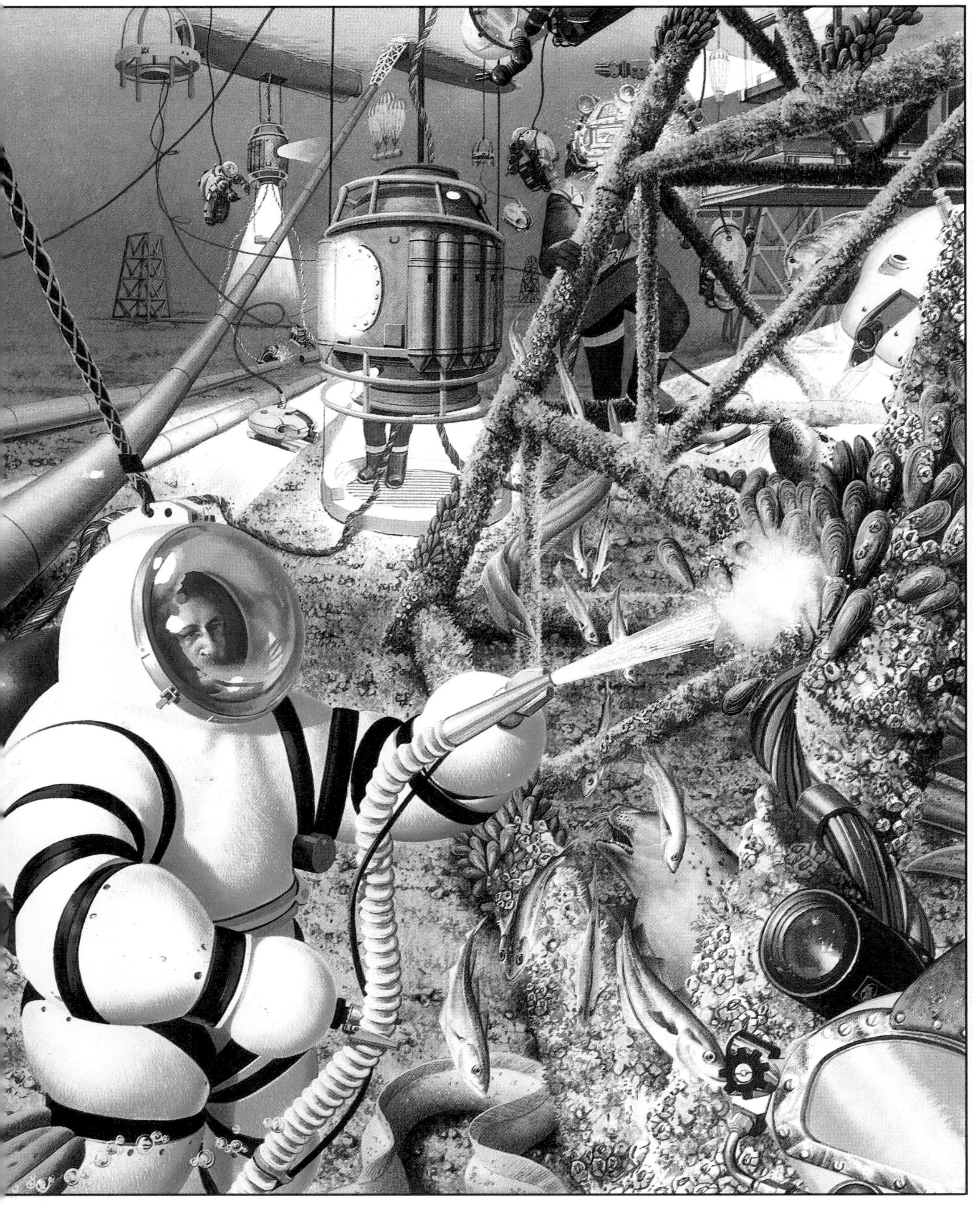

Il faut enlever les moules accrochées à la plateforme. Cherche cinq bancs de moules.

Cherche douze de chacun de ces poissons.

Cette pompe à jet d'eau est utilisée entre autres pour le nettoyage. En vois-tu une sur l'image ?

Bornéo, l'Asie du Sud-Est

La jungle du bord de mer

L'ibis falcinelle se sert de son long bec pour capturer crustacés, insectes et même serpents. Trouves-en quatre.

Le balbuzard-pêcheur attrape les poissons avec ses serres. Trouves-en un.

Les racines aériennes des palétuviers de la mangrove abritent beaucoup d'espèces. Cet arbre pousse dans les régions chaudes, à l'embouchure des rivières. Les racines enchevêtrées qui s'enfoncent dans la vase soutiennent l'arbre.

La loutre barbote en surface et plonge en profondeur pour se nourrir. Cherches-en trois.

Ces crabes se reconnaissent entre eux grâce à leur carapace bleu vif. Cherches-en vingt-deux.

Le crocodile marin est très gros et très dangereux. Trouves-en trois autres.

Ce serpent de mer ondule dans l'eau à la recherche de poissons ou de crabes. Trouve sept serpents.

Le sauteur de boue utilise ses nageoires comme des bras pour se hisser sur la vase. Il y en a vingt-cinq.

Les racines des palétuviers sont propices à la reproduction des coquillages. Trouve vingt et un individus de chaque.

Huître

Chama

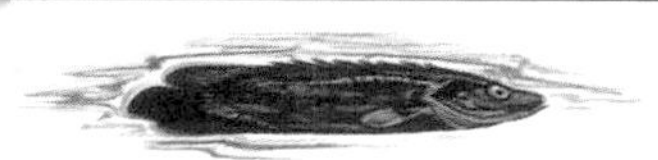

Pour se cacher, ce jeune poisson se met sur le côté à la surface de l'eau. Il ressemble à une feuille. Il y en a douze.

Les animaux de l'océan viennent souvent dans les mangroves pour se nourrir des plantes qui y poussent. Cherche deux tortues.

Le macaque de Buffon ouvre la carapace des crabes avec ses puissantes dents. Trouves-en deux.

Quand le martin-pêcheur repère un poisson, il plonge la tête la première. Cherches-en cinq.

Le nasique aime nager et va souvent dans l'eau pour se rafraîchir. En vois-tu cinq ?

Trouve quatorze plants de palétuviers. Certains flottent pendant un an avant de s'enraciner dans la vase.

Contrairement à la plupart des grenouilles, les grenouilles-crabières aiment l'eau salée. Il y en a trois.

Le crabe violoniste mâle se sert de son énorme pince pour combattre ses rivaux. Cherches-en trois.

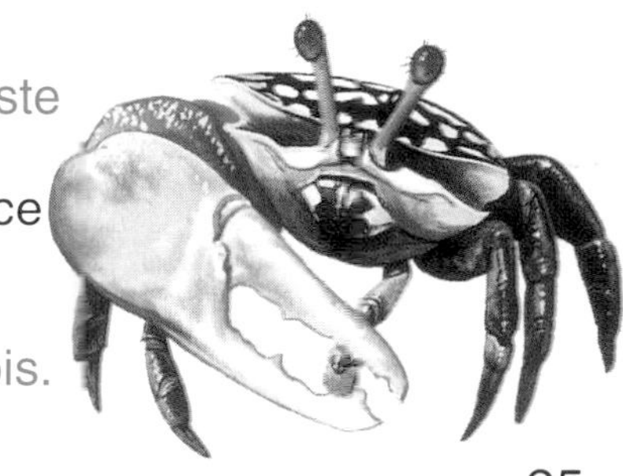

Les îles volcaniques

Cherche quatre mouettes à queue fourchue

Les îles Galápagos se sont formées à la suite d'éruptions volcaniques sous-marines. Elles sont très éloignées de tout continent et abritent certaines espèces que l'on ne trouve nulle part ailleurs dans le monde, d'où leur intérêt.

Quelques-unes de ces îles volcaniques sont toujours en éruption. En vois-tu une ?

L'otarie aime surfer sur les vagues, mais elle doit se méfier des requins. Trouve cinq otaries.

Le cormoran aptère étend ses ailes pour les faire sécher après un plongeon. En vois-tu un ?

Dauphin commun

Dauphin tacheté

Le dauphin monte souvent respirer en surface. Trouve deux dauphins de chacun de ces deux types.

Le pélican ramasse les poissons à l'aide de la poche située sous son bec. Trouve deux pélicans.

Le calmar a deux longs tentacules et huit autres courts. Trouve trois calmars.

La frégate mâle gonfle son jabot rouge pour attirer une femelle. Cherche deux mâles.

Le globicéphale pousse son petit vers la surface pour qu'il y respire. Cherche une mère et son petit.

L'albatros vit surtout en mer. Il ne vient sur terre que pour se reproduire. Il y en a un.

Si l'otarie à fourrure a trop chaud, elle reste dans l'eau pour se rafraîchir. Trouves-en deux.

Fou de Bassan à pieds rouges

Fou de Bassan à pieds bleus

Le fou de Bassan plonge parfois de 25 m de haut ! Trouves-en quatre de chaque espèce.

Le grapse des rochers a une carapace rouge et un ventre bleu. En vois-tu vingt-cinq ?

Ce manchot nage sous l'eau en se servant de ses ailes, impropres au vol. Trouves-en huit.

Le requin-tigre chasse seul. Il nage toute la journée, ne s'arrêtant que pour manger. En vois-tu un ?

L'iguane marin est le seul lézard qui sait nager. Il doit s'exposer au soleil pour se réchauffer. En vois-tu quatorze autres ?

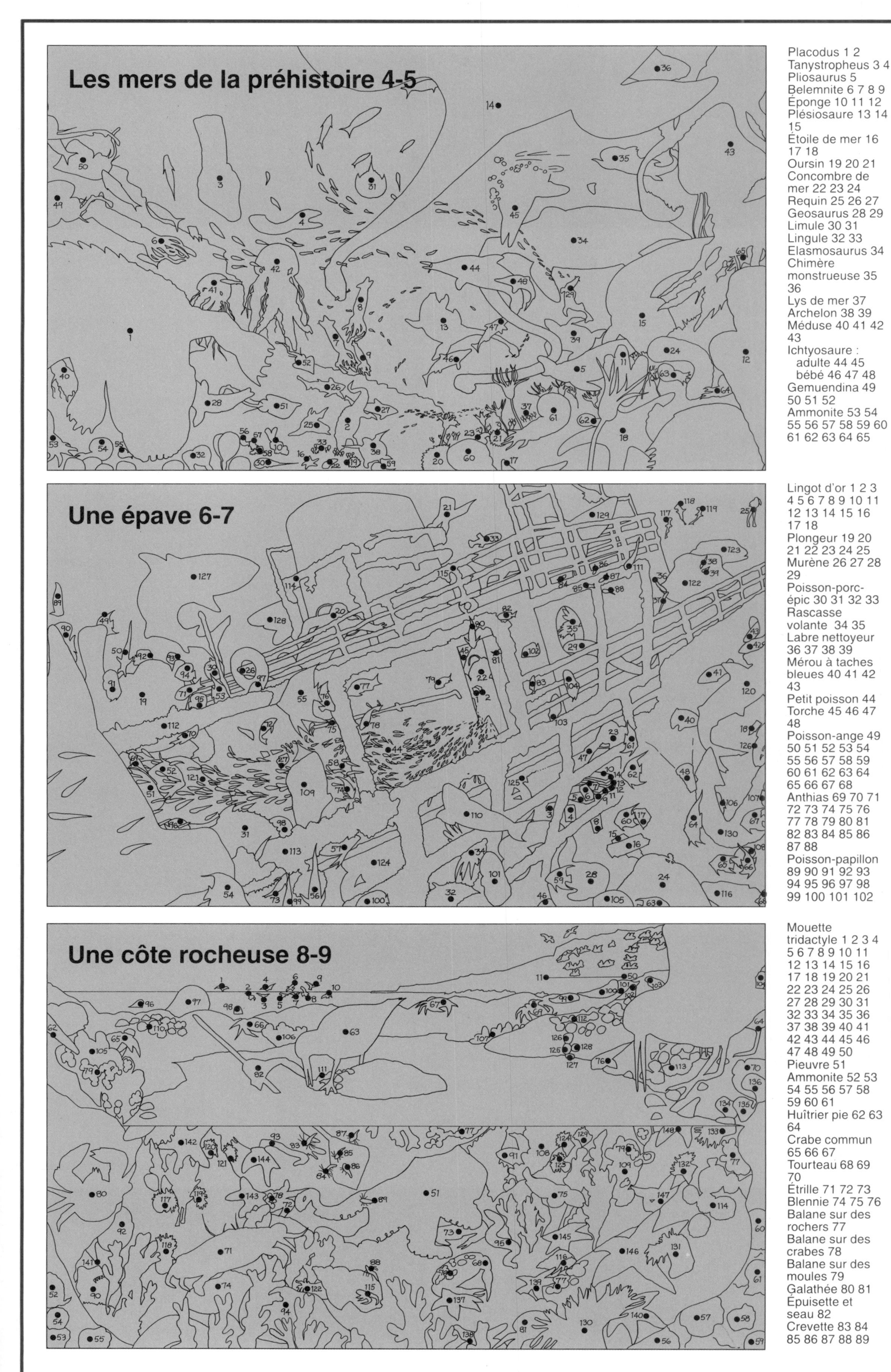

Les mers de la préhistoire 4-5

Placodus 1 2
Tanystropheus 3 4
Pliosaurus 5
Belemnite 6 7 8 9
Éponge 10 11 12
Plésiosaure 13 14 15
Étoile de mer 16 17 18
Oursin 19 20 21
Concombre de mer 22 23 24
Requin 25 26 27
Geosaurus 28 29
Limule 30 31
Lingule 32 33
Elasmosaurus 34
Chimère monstrueuse 35 36
Lys de mer 37
Archelon 38 39
Méduse 40 41 42 43
Ichtyosaure :
adulte 44 45
bébé 46 47 48
Gemuendina 49 50 51 52
Ammonite 53 54 55 56 57 58 59 60 61 62 63 64 65

Une épave 6-7

Lingot d'or 1 2 3 4 5 6 7 8 9 10 11 12 13 14 15 16 17 18
Plongeur 19 20 21 22 23 24 25
Murène 26 27 28 29
Poisson-porc-épic 30 31 32 33
Rascasse volante 34 35
Labre nettoyeur 36 37 38 39
Mérou à taches bleues 40 41 42 43
Petit poisson 44
Torche 45 46 47 48
Poisson-ange 49 50 51 52 53 54 55 56 57 58 59 60 61 62 63 64 65 66 67 68
Anthias 69 70 71 72 73 74 75 76 77 78 79 80 81 82 83 84 85 86 87 88
Poisson-papillon 89 90 91 92 93 94 95 96 97 98 99 100 101 102 103 104 105 106 107 108
Poisson-perroquet 109 110 111
Corail rose 112 113 114 115
Poisson aux yeux verts 116
Requin marteau 117 118 119 120
Labre napoléon 121 122 123
Moto 124 125 126
Requin des récifs coralliens 127 128 129
Ancre 130

Une côte rocheuse 8-9

Mouette tridactyle 1 2 3 4 5 6 7 8 9 10 11 12 13 14 15 16 17 18 19 20 21 22 23 24 25 26 27 28 29 30 31 32 33 34 35 36 37 38 39 40 41 42 43 44 45 46 47 48 49 50
Pieuvre 51
Ammonite 52 53 54 55 56 57 58 59 60 61
Huîtrier pie 62 63 64
Crabe commun 65 66 67
Tourteau 68 69 70
Étrille 71 72 73
Blennie 74 75 76
Balane sur des rochers 77
Balane sur des crabes 78
Balane sur des moules 79
Galathée 80 81
Épuisette et seau 82
Crevette 83 84 85 86 87 88 89
Gobie des roches 90 91
Gonelle 92 93 94 95
Phoque gris 96 97 98 99 100 101 102 103 104
Moule 105 106 107 108 109
Patelle 110 111 112 113 114
Bernard-l'ermite 115 116
Actinie brune 117 118 119 120 121 122 123 124 125 126 127 128 129 130 131 132 133 134 135 136
Étoile de mer sanglante 137 138 139 140
Astérine bossue 141 142 143 144
Étoile de mer commune 145 146 147 148

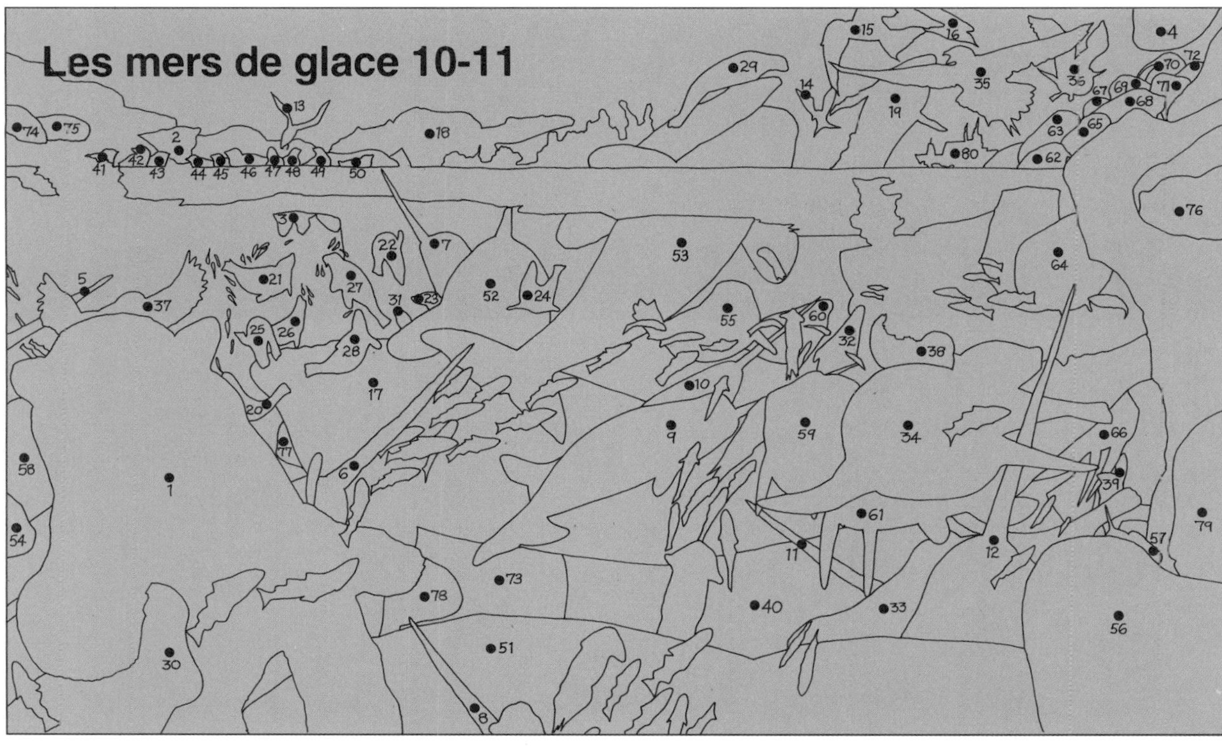

Ours polaire 1 2 3 4
Narval 5 6 7 8 9 10 11 12 13
Sterne arctique 13 14 15 16
Baleine à bosse 17 18
Phoque du Groenland 19 20 21 22 23 24
Phoque annelé 25 26 27 28 29
Phoque à ruban 30 31 32 33 34
Labbe arctique 35 36
Macareux moine 37 38 39
Baleine bleue 40
Mergule nain 41 42 43 44 45 46 47 48 49 50
Épaulard 51 52 53
Phoque barbu 54 55 56
Émetteur 57
Morse 58 59 60 61 62 63 64 65 66 67 68 69 70 71 72
Nautilus 73
Bébé phoque 74 75 76
Beluga 77 78 79
Navire de recherche 80

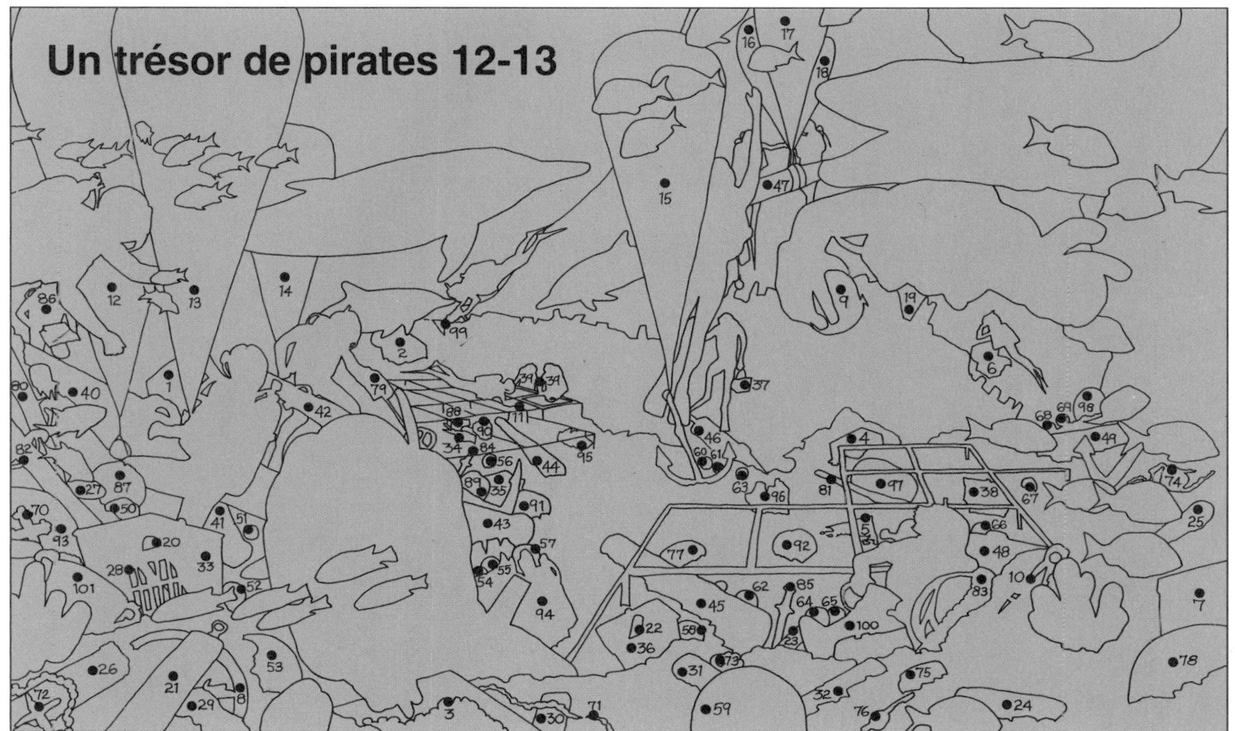

Coffre de pièces 1 2 3 4 5 6 7
Astrolabe 8
Cadran solaire 9
Compas à pointes sèches 10
Appareil photo 11
Ballons remplis d'air 12 13 14 15 16 17 18 19
Lingot d'or 20 21 22 23 24 25
Lingot d'argent 26 27 28 29 30 31 32
Panier 33 34 35 36 37 38
Plongeurs mesurant l'épave 39
Canon 40 41 42 43 44 45 46 47 48 49
Boulet de canon 50 51 52 53 54 55 56 57 58 59 60 61 62 63 64 65 66 67 68 69
Croix en émeraude 70
Chaîne en or 71
Rosaire 72
Bague en émeraude 73
Médaillon en or 74
Boucle 75
Sifflet 76
Assiette en or 77 78
Détecteur de métal 79
Mousquet 80 81
Epée 82 83
Dague 84 85
Plongeur faisant un croquis 86
Jarre 87 88 89 90 91 92
Tonneau 93 94 95 96 97 98
Ventilateur manuel 99 100
Coupe en or 101

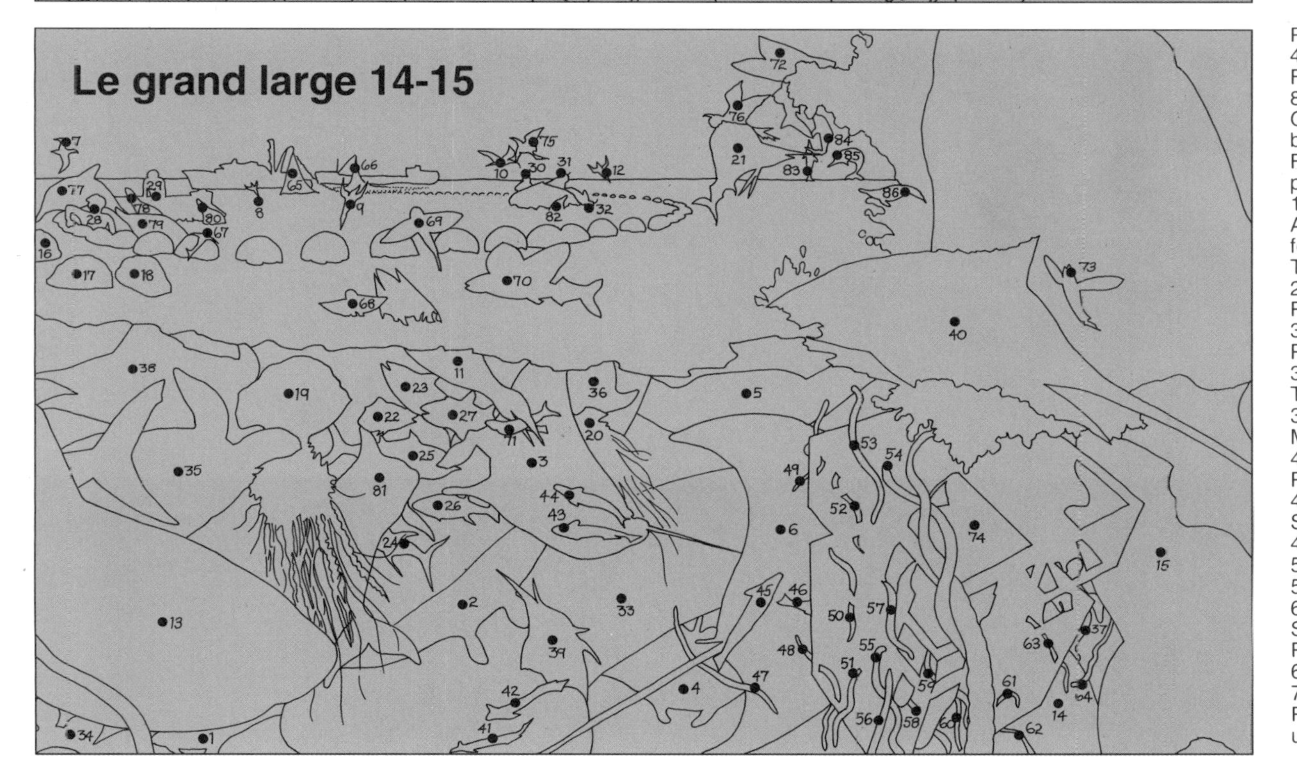

Raie manta 1 2 3 4 5 6
Fou de Bassan 7 8 9 10 11 12
Grand requin blanc 13 14 15
Frégate portugaise 16 17 18 19 20
Aplausorus ferox 21
Thon jaune 22 23 24 25 26 27
Pêcheur 28 29 30 31 32
Requin baleine 33
Tortue-luth 34 35 36 37
Marlin bleu 38 39 40
Rémora 41 42 43 44 45 46
Serpent de mer 47 48 49 50 51 52 53 54 55 56 57 58 59 60 61 62 63 64
Seine 65 66
Poisson volant 67 68 69 70 71 72 73
Plongeur dans une cage 74
Frégate 75 76
Dauphin à long bec 77 78 79 80 81 82 83 84 85 86

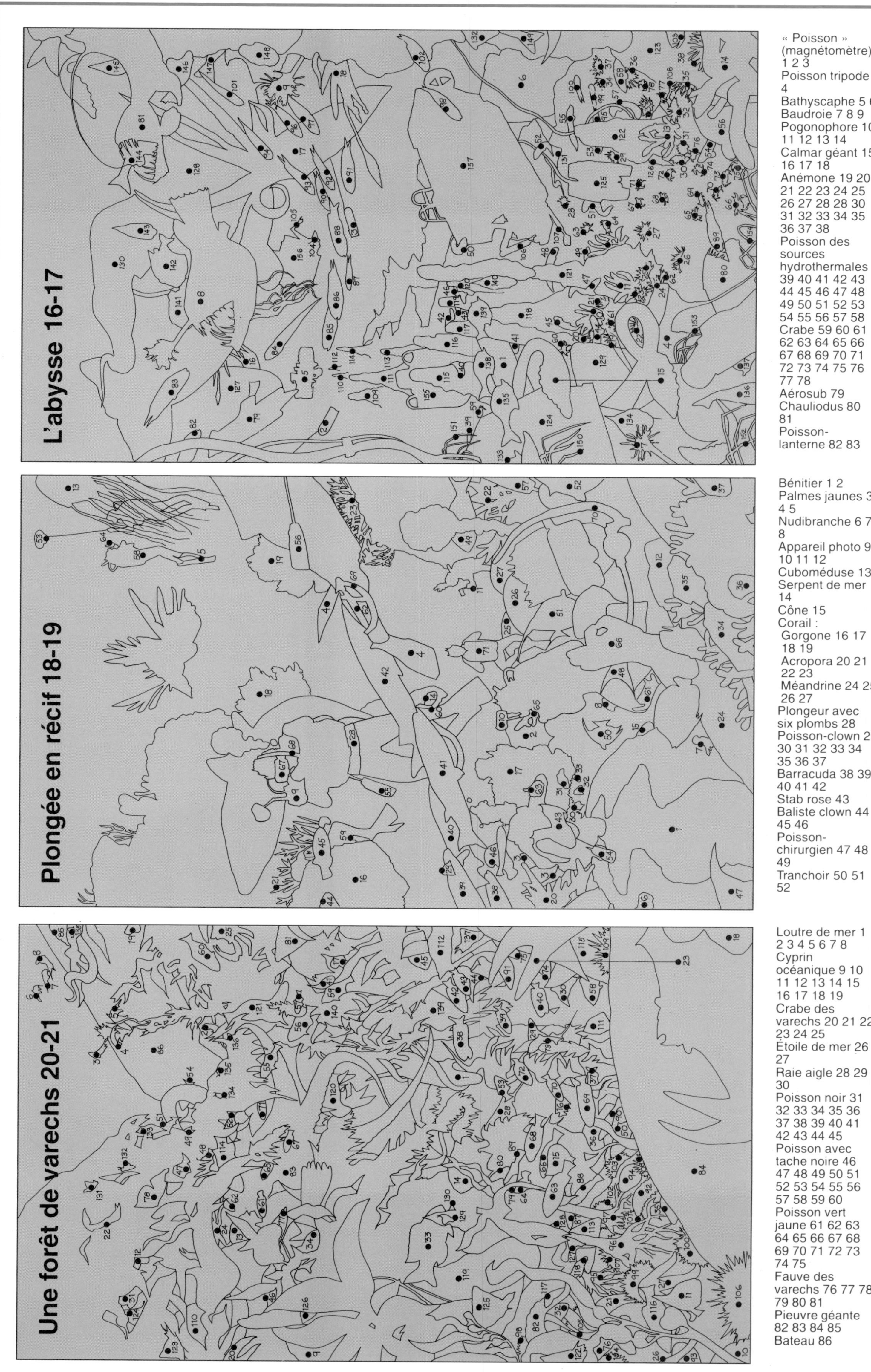

L'abysse 16-17

« Poisson » (magnétomètre) 1 2 3
Poisson tripode 4
Bathyscaphe 5 6
Baudroie 7 8 9
Pogonophore 10 11 12 13 14
Calmar géant 15 16 17 18
Anémone 19 20 21 22 23 24 25 26 27 28 28 30 31 32 33 34 35 36 37 38
Poisson des sources hydrothermales 39 40 41 42 43 44 45 46 47 48 49 50 51 52 53 54 55 56 57 58
Crabe 59 60 61 62 63 64 65 66 67 68 69 70 71 72 73 74 75 76 77 78
Aérosub 79
Chauliodus 80 81
Poisson-lanterne 82 83 84 85 86 87 88 89 90 91 92 93 94 95 96 97 98 99 100 101 102 103
Bras articulé 104 105 106 107 108
Fumeur 109 110 111 112 113 114 115 116 117 118 119 120 121 122 123
Robot 124 125 126
Cachalot 127 128
Eurypharinx 129 130 131 132
Poisson-hachette 133 134 135 136 137 138 139 140 141 142 143 144 145 146 147 148 149
Colossendeis limopsis 150 151 152 153 154
Submersible :
Turtle 155
Alvin 156
Nautile 157

Plongée en récif 18-19

Bénitier 1 2
Palmes jaunes 3 4 5
Nudibranche 6 7 8
Appareil photo 9 10 11 12
Cuboméduse 13
Serpent de mer 14
Cône 15
Corail :
Gorgone 16 17 18 19
Acropora 20 21 22 23
Méandrine 24 25 26 27
Plongeur avec six plombs 28
Poisson-clown 29 30 31 32 33 34 35 36 37
Barracuda 38 39 40 41 42
Stab rose 43
Baliste clown 44 45 46
Poisson-chirurgien 47 48 49
Tranchoir 50 51 52
Bouée 53
Console 54 55 56 57
Plongeur en combinaison rose 58
Couteau 59 60 61 62
Signaux de plongée :
Remontons 63 64
Tout va bien 65 66
Masque qui fuit 67
Tuba bleu 68 69 70
Plongeur avec deux bouteilles 71

Une forêt de varechs 20-21

Loutre de mer 1 2 3 4 5 6 7 8
Cyprin océanique 9 10 11 12 13 14 15 16 17 18 19
Crabe des varechs 20 21 22 23 24 25
Étoile de mer 26 27
Raie aigle 28 29 30
Poisson noir 31 32 33 34 35 36 37 38 39 40 41 42 43 44 45
Poisson avec tache noire 46 47 48 49 50 51 52 53 54 55 56 57 58 59 60
Poisson vert jaune 61 62 63 64 65 66 67 68 69 70 71 72 73 74 75
Fauve des varechs 76 77 78 79 80 81
Pieuvre géante 82 83 84 85
Bateau 86
Demoiselle 87 88 89 90 91
Ormeau 92
Coquille d'ormeau 93 94
Crampon 95 96 97
Oursin rouge 98 99 100 101 102 103
Oursin violet 104 105 106 107 108 109
Labre
mâle 110 111 112
femelle 113 114 115
jeune 116 117 118
Otarie 119 120 121
Troque 122 123 124 125 126 127 128 129 130 131 132 133 134 135 136 137 138
Baleine grise :
mère 139
bébé 140

Casque à visière plate carrée 1
Phoque 2 3 4 5 6
Navire océanographe 7
Ballon gonflé d'air 8 9 10 11 12 13 14 15 16 17
Panier à outils 18 19 20 21 22
ROV à bras mécaniques 23 24 25
ROV à caméra 26 27 28 29 30 31
Câble 32 33 34 35 36 37
Pompe à jet d'eau 38
Lieu jaune 39 40 41 42 43 44 45 46 47 48 49 50
Morue 51 52 53 54 55 56 57 58 59 60 61 62
Banc de moules 63 64 65 66 67
Plongeur coupant du métal 68 69 70
Barge de pose 71
Caisson sous pression 72 73 74
Congre 75 76 77 78
Scaphandre rigide (deux sortes) 79 80 81 82 83 84 85
Plate-forme 86 87 88 89 90

Balbuzard-pêcheur 1
Jeune poisson 2 3 4 5 6 7 8 9 10 11 12 13
Tortue 14 15
Macaque de Buffon 16 17
Martin-pêcheur 18 19 20 21 22
Nasique 23 24 25 26 27
Crabe violoniste mâle 28 29 30
Grenouille-crabière 31 32 33
Plant de palétuvier 34 35 36 37 38 39 40 41 42 43 44 45 46 47
Huître 48 49 50 51 52 53 54 55 56 57 58 59 60 61 62 63 64 65 66 67 68
Chama 69 70 71 72 73 74 75 76 77 78 79 80 81 82 83 84 85 86 87 88 89
Sauteur de boue 90 91 92 93 94 95 96 97 98 99 100 101 102 103 104 105 106 107 108 109 110 111 112 113 114
Serpent de mer 115 116 117 118 119 120 121
Crocodile marin 122 123 124
Crabe à carapace bleu vif 125 126 127 128 129 130 131 132 133 134 135 136 137 138 139 140 141 142 143 144 145 146
Loutre 147 148 149
Ibis falcinelle 150 151 152 153

Mouette à queue fourchue 1 2 3 4
Globicéphale : adulte 5 petit 6
Albatros 7
Otarie à fourrure 8 9
Fou de Bassan à pieds rouges 10 11 12 13
Fou de Bassan à pieds bleus 14 15 16 17
Grapse des rochers 18 19 20 21 22 23 24 25 26 27 28 29 30 31 32 33 34 35 36 37 38 39 40 41 42
Iguane marin 43 44 45 46 47 48 49 50 51 52 53 54 55 56
Requin-tigre 57
Manchot 58 59 60 61 62 63 64 65
Frégate mâle 66 67
Calmar 68 69 70
Pélican 71 72
Dauphin tacheté 73 74
Dauphin commun 75 76
Cormoran aptère 77
Otarie 78 79 80 81 82
Île volcanique en éruption 83

Index